中华人民共和国国家标准

煤矿提升系统工程设计规范

Code for design of coal mine hoisting system engineering

GB/T 51065 - 2014

主编部门：中 国 煤 炭 建 设 协 会
批准部门：中华人民共和国住房和城乡建设部
施行日期：２０１５年８月１日

中国计划出版社

2014 北 京

中华人民共和国国家标准
煤矿提升系统工程设计规范
GB/T 51065-2014

☆

中国计划出版社出版
网址：www.jhpress.com
地址：北京市西城区木樨地北里甲11号国宏大厦C座3层
邮政编码：100038　电话：(010) 63906433（发行部）
新华书店北京发行所发行
北京市科星印刷有限责任公司印刷

850mm×1168mm　1/32　2.5印张　61千字
2015年6月第1版　2015年6月第1次印刷

☆

统一书号：1580242・654
定价：15.00元

版权所有　侵权必究
侵权举报电话：(010) 63906404
如有印装质量问题，请寄本社出版部调换

中华人民共和国住房和城乡建设部公告

第 660 号

住房城乡建设部关于发布国家标准《煤矿提升系统工程设计规范》的公告

现批准《煤矿提升系统工程设计规范》为国家标准,编号为 GB/T 51065—2014,自 2015 年 8 月 1 日起实施。

本规范由我部标准定额研究所组织中国计划出版社出版发行。

中华人民共和国住房和城乡建设部
2014 年 12 月 2 日

前 言

本规范是根据原建设部《关于印发〈2006年工程建设标准规范制订、修订计划(第二批)的通知》(建标〔2006〕136号)的要求,由中国煤炭建设协会勘察设计委员会和中煤科工集团沈阳设计研究院有限公司会同有关单位共同编制而成的。

在本规范编制过程中,编制组进行了广泛调查研究,总结了我国矿井提升工程设计和设备制造经验,借鉴了国外的设计经验,对规范条文反复讨论修改,并广泛征求了有关设计部门、研究部门、高校、制造厂和专家的意见,最后经审查定稿。

本规范共分6章,主要技术内容包括:总则、术语和符号、提升系统机械工艺、电气、建筑、给排水及采暖通风。

本规范由住房城乡建设部负责管理,由中国煤炭建设协会负责具体管理工作,由中国煤炭建设协会勘察设计委员会和中煤科工集团沈阳设计研究院有限公司负责具体技术内容的解释。本规范在执行过程中,请各单位结合工程实践,认真总结经验,如发现需要修改或补充之处,请将意见和建议寄交中国煤炭建设协会勘察设计委员会和中煤科工集团沈阳设计研究院有限公司《煤矿提升系统工程设计规范》编制组(地址:北京市安德路67号,邮政编码:100120,传真:62044437,邮箱:ceda@163.com 及辽宁省沈阳市沈河区先农坛路12号,邮政编码:110015),以供今后修订时参考。

本规范主编单位、参编单位、主要起草人和主要审查人:
主 编 单 位:中国煤炭建设协会勘察设计委员会
中煤科工集团沈阳设计研究院有限公司
参 编 单 位:中煤科工集团北京华宇工程有限公司

中煤邯郸设计工程有限责任公司
北京圆之翰煤炭工程设计有限公司
煤炭工业合肥设计研究院
煤炭工业石家庄设计研究院

主要起草人: 李洪宇 贺秀莹 李玉瑾 张晓四 马培忠
包 勇 赵书忠 要书其 宋中扬 刘建华
张纯全 鲍 宇 刘 向 张 俭 李 熙
杨 臣 张光伟 张福思 张文魁 张步斌
姚 宏 郑孝平 吴 旭

主要审查人: 曾 涛 刘 毅 石 强 王和德 鲍巍超
魏 臻 李同达 何建平 李定明 王荣相
袁国忠 李井民 门小莎 李书兴 孔凡平
张春堂 王连生 严天良 郭崇远 王煜明
张振文

目　次

1 总　则 …………………………………………………（ 1 ）
2 术语和符号 ……………………………………………（ 2 ）
  2.1 术语 ………………………………………………（ 2 ）
  2.2 符号 ………………………………………………（ 3 ）
3 提升系统机械工艺 ……………………………………（ 6 ）
  3.1 一般规定 …………………………………………（ 6 ）
  3.2 提升系统 …………………………………………（ 7 ）
  3.3 提升设备选型计算 ………………………………（14）
  3.4 提升工艺布置 ……………………………………（20）
  3.5 辅助设备 …………………………………………（24）
4 电　气 …………………………………………………（26）
  4.1 负荷分级和供电电源 ……………………………（26）
  4.2 电气传动系统 ……………………………………（26）
  4.3 电气设备布置 ……………………………………（27）
  4.4 电缆选择及敷设 …………………………………（28）
  4.5 提升信号与通信 …………………………………（29）
  4.6 照明 ………………………………………………（30）
  4.7 防雷与接地 ………………………………………（30）
5 建　筑 …………………………………………………（32）
  5.1 一般规定 …………………………………………（32）
  5.2 提升建筑物和构筑物 ……………………………（32）
  5.3 提升建筑物设施 …………………………………（33）
6 给排水及采暖通风 ……………………………………（34）
  6.1 给排水 ……………………………………………（34）

6.2 采暖和通风 ………………………………………（34）
本规范用词说明 ……………………………………（36）
引用标准名录 ………………………………………（37）
附：条文说明 ………………………………………（39）

Contents

1 General provisions .... (1)
2 Terms and symbols .... (2)
   2.1 Terms .... (2)
   2.2 Symbols .... (3)
3 Mechanical process of hoisting system .... (6)
   3.1 General requirements .... (6)
   3.2 Hoisting system .... (7)
   3.3 Hoisting equipment selection and calculation ...... (14)
   3.4 Hoist technical arrangement .... (20)
   3.5 Auxiliary equipment .... (24)
4 Electric .... (26)
   4.1 Load class and power source .... (26)
   4.2 Electric drive system .... (26)
   4.3 Arrangement of electric installation .... (27)
   4.4 Selection and laying of electric cable .... (28)
   4.5 Hoisting signal and communication .... (29)
   4.6 Lighting .... (30)
   4.7 Lightning protection and earthing .... (30)
5 Architecture .... (32)
   5.1 General requirements .... (32)
   5.2 Buildings and structures for hoisting .... (32)
   5.3 Facilities in hoist building .... (33)
6 Water supply and drainage, heating and ventilation ...... (34)
   6.1 Water supply and drainage .... (34)

6.2　Heating and ventilation ……………………………… (34)
Explanation of wording in this code …………………… (36)
List of quoted standards ………………………………… (37)
Addition: Explanation of provisions …………………… (39)

1 总 则

1.0.1 为贯彻执行国家发展煤炭工业有关法律、法规和方针政策，统一和规范矿井提升系统工程设计，积极应用新技术、新工艺，确保矿井提升系统安全可靠，保障矿井安全生产，做到技术先进和经济合理，制定本规范。

1.0.2 本规范适用于新建、改建、扩建矿井提升系统的工程设计。

1.0.3 本规范适用于煤矿井上下多绳摩擦式和单绳缠绕式提升系统的工程设计。

1.0.4 矿井提升系统工程设计，应根据矿井设计规模、服务年限和远期规划，正确处理提升能力、装备水平与建设投资的关系，适应矿井提升能力的变化，兼顾企业长远发展。

1.0.5 矿井提升系统工程设计除应符合本规范规定外，尚应符合国家现行有关标准的规定。

2 术语和符号

2.1 术　语

2.1.1 提升系统　hoist system

由矿井提升机、电动机、天轮或导向轮、井架或井塔、提升容器、钢丝绳、装卸载设备及电气控制设备等提升设施组成的系统。

2.1.2 矿井提升机　mine hoist

安装在地面或井下，采用钢丝绳牵引提升容器完成提升运输任务的机械设备。主要包括单绳缠绕式提升机和多绳摩擦式提升机。

2.1.3 工作制动　service braking

提升机在正常运行过程中实现减速或停车的制动。

2.1.4 安全制动　safety braking

矿井提升机在运行过程中发生非常情况时实现紧急停车的制动。

2.1.5 恒力矩制动　constant torque braking

安全制动时，保持制动力矩恒定的制动方式。

2.1.6 恒减速制动　controlled retardation braking

安全制动时，通过控制系统使制动减速度在各种制动过程中保持恒定的制动方式。

2.1.7 钢丝绳安全系数　safety factor of wire rope

钢丝绳内实测的合格钢丝拉断力总和与其所承受的最大静拉力(包括绳端载荷和钢丝绳自重所引起的静拉力)的比值。

2.1.8 缓冲装置　buffing device

安装在井口或井下，能吸收提升容器过卷和过放时的冲击能量,并对提升容器制动的装置。

2.1.9 托罐装置　cage holder
井口防止提升容器过卷撞击防撞梁后坠落的装置。

2.1.10 装载设备　loading equipment
井下箕斗装煤设备的统称,包括给煤和计量设备。

2.1.11 跑车防护装置　anti-derailing device
倾斜巷道中车辆断绳、脱钩时,防止跑车的安全装置。

2.1.12 提升机电气传动系统　hoist electric drive system
为使绳端提升容器在各提升水平装、卸载点间按预定速度图运行,用以实现矿井提升机电气化及自动控制而构成的相互关联的一组单元,电气传动系统由提升电动机、电源装置和控制装置三部分组成。

2.1.13 提升机电控系统　hoist electric control system
提升机电气传动系统中的电源装置和控制装置的统称。

2.1.14 运行方式　mode of operation
提升机电控系统具备的各种运行控制功能,通常有全自动、半自动、手动等方式。

2.1.15 全自动控制　automatic control
电控系统根据装、卸载信号由提升机自动完成一次完整提升过程的控制。

2.1.16 半自动控制　semi-automatic control
电控系统根据信号种类通过人工按钮开车,使提升机完成一次完整提升过程的控制。

2.1.17 手动控制　manual control
电控系统根据信号种类通过人工操作主令手柄的速度给定器件控制提升机的运行速度。

2.2　符　号

2.2.1 基本参数:

A_c —— 自然减速度；

g —— 重力加速度；

β —— 井巷倾角；

θ —— 提升休止时间；

f —— 绳端载荷的运行阻力系数；

$V_{\max}$ —— 最大提升速度；

H —— 钢丝绳悬挂长度；

H_t —— 提升高度；

Q_p —— 平衡锤质量；

G —— 容器质量；

M —— 物料或最重部件质量；

N —— 运输车辆质量；

h —— 防撞梁底面至导向轮层楼板或天轮中心最小距离；

h_1 —— 提升容器悬挂装置最大高度；

R —— 天轮半径。

2.2.2 电动机校核参数：

F_d —— 等效力；

$\Sigma F_i^2 t_i$ —— i 阶段力的平方与该阶段时间乘积之和；

T_d —— 等效时间；

C_1 —— 电动机低于额定转速运行时的散热不良系数；

C_2 —— 电动机停歇时间的散热不良系数；

T_e —— 额定速度或额定速度以上的运行时间；

T_s —— 额定速度以下运行时间之和；

N_d —— 等效容量；

V_E —— 提升电动机的额定转速折算至卷筒圆周的速度；

η —— 传动效率；

λ —— 过载系数；

$F_{\max}$ —— 力图上的最大运动力；

F_e —— 电动机额定出力；

λ_m——电动机过载系数;
λ_t——特殊力过载系数;
F_t——特殊运动力。

3 提升系统机械工艺

3.1 一般规定

3.1.1 提升系统应根据矿井设计生产能力、井深、同时生产水平数以及提升设备的装备水平，从安全可靠、技术先进、经济合理、有利于提高矿井建设速度等诸多因素进行方案比较后确定，并应符合下列规定：

1 大型矿井立井主、副井提升设备设置一套或多套，应经技术经济比较后确定，中型矿井立井主、副井提升设备宜各设置一套；

2 对于井深超过700m或生产能力为5.00Mt/a及以上的矿井，提升人员的副井只有一套提升设备时，宜增加交通罐提升设备；

3 提升系统设备能力应能满足最终水平提升量要求；

4 整体升降大型设备的副立井，宜采用多绳摩擦式提升系统，提升容器的配置形式，应根据井筒断面、辅助提升量以及其他因素通过技术经济比较后确定。

3.1.2 选择井塔式或落地式多绳摩擦式提升方案，应从下列几个因素通过综合比较后确定：

1 所在地的气象、地震烈度、地基承载力等自然条件；

2 有利于工业场地整体布局；

3 对矿井建设总工期的影响程度；

4 有利于生产，方便安装、维护、检修；

5 工程总投资比较。

3.1.3 寒冷地区且井筒淋水较大时，落地式多绳摩擦式提升系统钢丝绳外露部分宜加钢丝绳防寒走廊或采取其他防冻措施，钢丝绳防寒走廊应设人行通道。

3.1.4 井塔或地面提升机房内设两台多绳摩擦式提升机时，提升机宜同层布置。

3.2 提升系统

3.2.1 矿井提升机选型应符合下列要求：

1 多绳摩擦式提升机应按现行国家标准《多绳摩擦式提升机》GB/T 10599的有关规定执行，单绳缠绕式提升机应按现行国家标准《单绳缠绕式矿井提升机》GB/T 20961的有关规定执行；

2 提升机宜按标准参数选取；

3 提升电动机额定功率大于或等于1000kW时宜采用低速直联传动系统；

4 提升机宜选用单电动机拖动，当提升设备某些环节无法满足单机拖动时，直联传动的提升机可选用双机拖动；

5 井下提升机应选用矿用防爆型提升设备；

6 井下提升设备的形式应根据开拓方式、运输特点并结合运行维护条件通过技术经济比较后确定；

7 矿井服务年限内，不宜更换电动机，改、扩建矿井经方案比选后确有必要更换时，宜更换1次。

3.2.2 提升机安全制动系统应符合下列规定：

1 多绳摩擦式提升机制动系统应选用恒减速液压站或具有二级制动功能的恒力矩液压站；

2 提升机制动系统宜选用带有冲击限制功能的液压站；

3 提升机工作制动和安全制动时，所产生的最大制动力矩与实际提升最大静荷重旋转力矩之比不得小于3，二级制动时，第一级制动力矩值应按安全制动减速度要求确定。

3.2.3 提升设备选型时应论证设备最大件整体运输的可行性，当摩擦轮或卷筒不便整体运输时，宜采用剖分式结构。

3.2.4 新设计矿井的主要提升设备，不得使用块式制动系统。

3.2.5 多绳摩擦式提升的摩擦衬垫比压值不宜大于2.0MPa。

3.2.6 提升装置的摩擦轮、卷筒、天轮、导向轮的最小直径与钢丝绳直径之比应符合表3.2.6的规定。

表3.2.6 提升装置的摩擦轮、卷筒、天轮、导向轮的最小直径与钢丝绳直径之比

用途		最小比值	说明
落地式摩擦提升装置的摩擦轮及天轮、围包角大于180°的塔式摩擦提升装置的摩擦轮	井上	90	在这些提升装置中，如使用密封式提升钢丝绳，应将各相应比值增加20%
	井下	80	
围包角为180°的塔式摩擦提升装置的摩擦轮	井上	80	
	井下	70	
摩擦提升装置的导向轮		80	
地面缠绕式提升装置的卷筒和围抱角大于90°的天轮		80	
地面缠绕式提升装置在围抱角小于90°时的天轮		60	
井下缠绕式提升机的卷筒和围抱角大于90°的天轮		60	
井下缠绕式提升机在围抱角小于90°时的天轮		40	
矸石山提升机、慢速（小于2m/s）提升装置和检修绞车的卷筒和天轮		50	

注：不包括移动式或辅助性的提升机。

3.2.7 各种提升装置的卷筒上缠绕的钢丝绳层数应符合下列规定：

1 立井中升降人员或升降人员和物料的不得超过1层，专为升降物料的不得超过2层；

2 倾斜井巷中升降人员或升降人员和物料的不得超过2层，升降物料的不得超过3层；

3 上述缠绕式提升机采用平行折线绳槽过渡排绳，可按本条第1款、第2款所规定的层数增加1层；

4 移动式的或辅助性的专为升降物料的（包括矸石山和向天桥上提升等）以及凿井时期专为升降物料的，准许多层缠绕。

3.2.8 立井的天轮、主动摩擦轮、导向轮的直径或缠绕式提升卷筒上绕绳部分的最小直径与钢丝绳中最粗钢丝的直径之比宜符合下列要求：

1 井上提升装置不宜小于1200；

2 井下提升装置不宜小于900。

3.2.9 提升系统设计应符合下列规定：

  1 多绳摩擦式提升钢丝绳在摩擦轮上的围包角,井塔式提升不宜大于195°,落地式提升不宜小于180°；

  2 缠绕式提升,天轮到卷筒上的钢丝绳最大内、外偏角都不得超过1°30′,单层缠绕时,内偏角应保证不咬绳；

  3 多绳摩擦式提升钢丝绳和尾绳单位长度质量差宜小于3%。

3.2.10 提升钢丝绳和尾绳应按国家现行标准《重要用途钢丝绳》GB 8918、《压实股钢丝绳》YB/T 5359和《平衡用扁钢丝绳》GB/T 20119的有关规定选择,并应符合下列规定：

  1 钢丝绳安全系数应符合表3.2.10的规定。

表3.2.10 钢丝绳安全系数

用途分类			安全系数最低值
单绳缠绕式提升装置	专为升降人员		9
	升降人员和物料	升降人员时	9
		混合提升时	9
		升降物料时	7.5
	专为升降物料		6.5
摩擦轮式提升装置	专为升降人员		$9.2-0.0005H$
	升降人员和物料	升降人员时	$9.2-0.0005H$
		混合提升时	$9.2-0.0005H$
		升降无轨胶轮车(含司机)	$8.2-0.0005H$
		升降物料时	$8.2-0.0005H$
	专为升降物料		$7.2-0.0005H$
慢速提升装置	运送大件设备		$5-0.001H$(但不得小于4)

注：1 钢丝绳的安全系数等于实测的合格钢丝拉断力总和与其所承受的最大静拉力(包括绳端载荷和钢丝绳自重所引起的静拉力)之比。

  2 混合提升指多层罐笼同一次在不同层内提升人员和物料。

  3 H为钢丝绳悬挂长度(m)。

  2 多绳摩擦式提升钢丝绳应选用左、右对称捻向钢丝绳；当井筒深度大于800m时,宜采用抗扭转钢丝绳。

   3 钢丝绳公称抗拉强度宜选用1770MPa及以下规格,选用1770MPa以上规格时,应进行论证。

   4 矿井主要提升设备选用圆股钢丝绳时,其结构形式宜选用平行捻钢丝绳。

   5 立井缠绕式提升装置宜选用同向捻钢丝绳。

   6 尾绳宜选用扁尾绳,当选用圆尾绳时,应采用阻旋转钢丝绳。尾绳可选用AB类镀锌。

   7 多绳摩擦式提升尾绳数量不应少于2根。

   8 立井提升钢丝绳应选用镀锌钢丝绳。升降人员或升降人员和物料的提升系统宜选用B类镀锌;专用提升物料的提升系统可选用B类或AB类镀锌。

   9 多绳摩擦式提升钢丝绳绳芯应涂、浸专用摩擦脂。

3.2.11 提升钢丝绳保护设施应符合下列规定:

   1 带尾绳的提升系统,尾绳环上方宜设置尾绳防砸装置;

   2 尾绳应设置防扭结挡绳装置,每根尾绳应相互隔开;

   3 圆尾绳系统提升容器下部应有可靠自动旋转的尾绳悬挂装置;

   4 斜井提升轨道中间应加装钢丝绳托辊,正常段托辊间距不应大于10m,变坡点处应加密,托辊数量应以钢丝绳不贴地运行为准。

3.2.12 提升装置的过卷和过放距离应符合下列规定:

   1 立井提升装置的过卷高度和过放距离不得小于表3.2.12-1中所列数值。

表3.2.12-1 立井提升装置的过卷高度和过放距离

提升速度(m/s)	≤3	4	6	8	≥10
过卷高度和过放距离(m)	4.0	4.75	6.5	8.25	10

注:1 提升速度为表中所列速度的中间值时,用插值法计算。
   2 过卷高度指容器在正常停车位置,容器上盘面至防撞梁底面的距离。
   3 过放距离指井下提升容器在正常停车位置时,容器底盘面至防撞梁上表面的距离。

2 斜井上部甩车场过卷距离不得小于表 3.2.12-2 中所列数值。

表 3.2.12-2　斜井上部甩车场过卷距离

提升速度(m/s)	2.5	3.14	3.3	3.8	4.7	5
栈桥或巷道倾角 α(°)	过卷距离(m)					
6	6	9	10	13	18	20
7	6	8	9	11	16	18
8	5	7	8	10	15	17
9	5	7	8	10	14	16
10	4	6	8	9	13	14
11	4	6	7	8	12	14
12	4	6	6	8	11	13
13	4	6	6	8	11	12
14	4	5	6	7	10	11
15	4	5	6	7	10	11
16	4	5	5	7	9	10
17				7	9	10
18	3	5	5	6	9	10
19及以上					8	9

注：1　表中所列栈桥或巷道倾角、速度为中间值时，用插值法计算。
　　2　表中已留有1.5倍的备用系数。
　　3　过卷距离为串车停车位置钩头至巷道或栈桥铺轨端部车档的距离。

3 立井过放距离内，下放容器宜超前上提容器进入缓冲装置，超前距离不宜小于 0.5m。

4 采用罐笼底盘吊装下放长材料方式，其增加的高度应包括在过卷高度和过放距离内。

3.2.13 倾斜井巷提升应设置跑车防护装置，并应符合下列规定：

1 跑车防护装置在串车提升时应为常闭状态，但在人车提升时应为常开状态；

2 跑车防护装置和提升机电控设备间应有电气闭锁；

3 上部平车场接近变坡点1m～2m处应设阻车器；

4 上井口或变坡点向下15m～20m处应设挡车栏；

5 下井口变坡点向上20m～30m处应设挡车栏；

6 挡车栏的电气控制应能满足不同提升种类要求。

3.2.14 立井和倾斜井巷提升系统在提升机进行安全制动时，安全制动减速度应符合下列规定：

1 安全制动减速度应符合表3.2.14的要求。

表3.2.14 安全制动减速度(m/s²)

倾角β		β≤30°	β>30°
减速度规定值	上提重载	≤A_c	≤5
	下放重载	≥0.75	≥1.5

注：自然减速度应按下式计算：

$$A_c = g(\sin\beta + f\cos\beta) \quad (3.2.14)$$

式中：A_c——自然减速度(m/s²)；

g——重力加速度(m/s²)；

β——井巷倾角(°)；

f——绳端载荷的运行阻力系数，可取0.010～0.015。

2 多绳摩擦式提升恒减速制动系统，当恒减速失效转为恒力矩制动时，下放重载制动减速度规定值可由1.5m/s²放宽为1.2m/s²。

3.2.15 立井箕斗提升系统卸载方式应按下列规定选择：

1 箕斗名义载荷小于25t时宜采用曲轨卸载；

2 箕斗名义载荷大于36t时宜采用外动力卸载；

3 箕斗名义载荷为25t～36t时应通过技术经济比较后确定。

3.2.16 立井双容器提升系统，两侧提升容器质量应相等；单容器平衡锤提升系统平衡锤质量应经计算确定。

3.2.17 箕斗、罐笼的选用应符合下列要求：

1 箕斗宜选用已经标准化、系列化的产品，需要特殊制造的大型箕斗，应经过论证确定；

2 副井罐笼提升不宜采用三层以上罐笼。

3.2.18 平衡锤的选择应符合下列要求：

1 平衡锤的总质量应按计算质量配置，总质量应包括框架、首绳和尾绳悬挂装置及罐耳等；

2 平衡锤的配重块，每块质量不宜大于100kg；

3 可调配重的平衡锤应能方便进行移动配重操作；

4 单绳提升乘人平衡锤应装设防坠器。

3.2.19 井口防过卷及井下防过放装置应符合下列要求：

1 提升速度大于3m/s的提升系统必须设防撞梁和托罐装置，防撞梁必须能够挡住过卷后上升的容器或平衡锤；托罐装置应能够将撞击防撞梁后再下落的容器或平衡锤托住，并应保证其下落的距离不超过0.5m。

2 在过卷高度或过放距离内，应安设性能可靠的缓冲装置。缓冲装置应能将全速过卷或过放的容器或平衡锤平稳地停住，并应保证不再反向下滑或反弹。

3 防过卷及防过放采用缓冲托罐装置时，不宜再设置木质楔形罐道。罐笼提升过卷制动减速度宜小于$1gm/s^2$，箕斗提升过卷制动减速度宜小于$2gm/s^2$。

4 选用的缓冲托罐装置应具有良好的恢复功能。

3.2.20 箕斗装卸载设备布置应符合下列要求：

1 立井箕斗卸载扇形闸门完全打开后，其底部与受煤仓口的垂直距离宜为150mm～250mm；

2 立井箕斗装载时，箕斗受煤口与装载设备下口的垂直距离宜为150mm～250mm；

3 装载设备应装设与箕斗荷载质量相适应的定重装置；

4 给煤装置的能力应与箕斗的提煤量及提升循环时间相适应。

3.2.21 立井罐笼提升，井口、井底连接处的布置应满足下列要求：

1 井上、下套架应便于长材料下井和更换罐笼，长材料下放可采用穿罐笼吊挂在罐底下放；

2 采用双层罐笼时，宜在同一水平进出车，双层罐笼同时上、下人员时，井上、下套架两端宜设置人行平台或地道；

3 井口、井底宜采用推爪可进罐笼实现矿车进出车的操车设备；

4 当井筒较深、大件较重时，应对钢丝绳弹性变形引起的对罐平层高度进行计算，并应采取措施方便井下进出车；

5 立井罐笼用摇台的摇尖应能灵活转动，不得阻碍罐笼通过。

3.3 提升设备选型计算

3.3.1 主井提升设备能力计算应符合下列规定：

1 每年按330d生产，每天净提升作业时间为18h；

2 提升不均衡系数，有井底煤仓时可取1.10，无井底煤仓时可取1.20；

3 主提升设备应留有10%～20%的富余能力。

3.3.2 副井提升设备能力计算应符合下列规定：

1 最大班工人下井时间，立井不应超过30min，斜井不应超过45min。

2 最大班作业时间应按4.5h计算。

3 人员、矸石、支护材料及其他作业时间应按下列规定计算：

1）升降工人时重合率可按1.6倍～1.8倍选取，全综采矿井取大值，升降其他人员时间，应按升降工人时间的20%计算；

2）提升矸石应按日出矸石量的35%计算；

3）下放支护材料应按日需要量的35%计算；

4）其他作业宜按5次～10次选取，并可按提升矸石时间计算其他作业时间。

4 提升设备及罐笼应能满足运送井下设备的最重或最大部

件,液压支架宜整体运输。

 5 专用于提升矸石的设备能力应计入 1.2 的不均衡系数;每天作业时间应按 16h 计算。

3.3.3 混合提升设备能力计算应符合下列规定:

 1 最大班工人下井时间,立井不宜超过 30min,斜井不宜超过 45min;

 2 最大班作业时间应按 5.5h 计算;

 3 每班提煤、提矸应计入 1.25 的不均衡系数;

 4 提升设备应能满足运送井下设备最重或最大部件;

 5 人员、矸石、支护材料及其他作业时间可按本规范第 3.3.2 条第 3 款的规定执行。

3.3.4 采区轨道上、下山提升设备能力计算应符合下列规定:

 1 专用提煤系统的提升作业时间每班应按 4.5h 计算;

 2 混合提升作业时间每班应按 5.5h 计算;

 3 最大班运送工人时间不宜超过 45min;

 4 人员、矸石、支护材料及其他作业时间可按本规范第 3.3.2 条第 3 款的规定执行;

 5 提升设备应能满足采掘设备的最重或最大部件运输;

 6 提煤或提矸的不均衡系数应取 1.25;

 7 单钩提升上提、下放时间可重合计算。

3.3.5 由两段及以上提升构成的接力提升系统,应分别计算各分系统提升能力,并应以最小的分系统能力作为提升系统能力。

3.3.6 提升容器在井口、井底同时作业时的休止时间应按现行国家标准《煤炭工业矿井设计规范》GB 50215 的有关要求选取,并应符合下列规定:

 1 箕斗提煤的休止时间:标称容量 6t 及以下箕斗宜为 8s;8t~9t 箕斗宜为 10s;12t~30t 箕斗可按每吨 1s 计算;30t 以上的箕斗宜按有关设备部件环节联动时间计算确定;在缺乏计算数值或实测数据时,30t 以上箕斗每增加 1t 可按 0.5s~0.8s 计算。

2 采用罐笼升降无轨胶轮车的矿井,无轨胶轮车由一个水平进出车,且无锁罐装置,单层单车罐笼宜按 60s,双层双车宜按 120s 并增加 10s～15s 的罐笼换层时间;有锁罐装置应经计算确定。

3.3.7 立井提升设备运行加、减速度和最大提升速度应符合下列规定:

1 升降物料时,多绳摩擦式提升的加、减速度最大不得超过 1.2m/s²;单绳缠绕式提升的加、减速度最大不得超过 1.0m/s²,并且最大提升速度不得超过用下式所求的数值:

$$V_{max} = 0.6\sqrt{H_t} \qquad (3.3.7\text{-}1)$$

式中:V_{max}——最大提升速度(m/s);

H_t——提升高度(m)。

2 罐笼升降人员时,加、减速度最大不得超过 0.75m/s²;最大提升速度不得超过用下式所求的数值,且最大不得超过 12m/s:

$$V_{max} = 0.5\sqrt{H_t} \qquad (3.3.7\text{-}2)$$

式中:V_{max}——最大提升速度(m/s);

H_t——提升高度(m)。

3 加、减速度变化率可按 0.3 m/s³～0.5m/s³ 选取。

3.3.8 斜井提升设备的最大运行速度和最大加、减速度应符合下列规定:

1 升降人员时的速度不得超过 5m/s,且不得超过人车设计的最大允许速度,升降人员时的加速度和减速度不得超过 0.5m/s²;

2 用矿车升降物料时的速度不得超过 5m/s,加速度和减速度不宜超过 0.6m/s²;

3 用箕斗提煤时,速度不得超过 7m/s,当铺设固定道床并采用大于或等于 38kg/m 的钢轨时,速度不得超过 9m/s,提升加速度和减速度可按 0.4 m/s²～0.6m/s² 选取;

4 斜井甩车场的加速度和减速度可按 0.2 m/s²～0.3m/s² 选取,甩车速度可按 1.5m/s 计算。

3.3.9 提升设备钢丝绳的最大静张力、最大静张力差应按下列条件计算：

1 双罐笼提升系统升降大型设备、空罐侧需配重时，配重质量宜为大型设备和运输车辆质量和的50％。

2 平衡锤提升系统的平衡锤质量应按下式计算：

$$Q_p = G + \frac{1}{2}(M+N) \qquad (3.3.9)$$

式中：Q_p——平衡锤质量(kg)；

G——容器质量(kg)；

M——物料或最重部件质量(kg)；

N——运输车辆质量(kg)。

3 采用固定配重的平衡锤提升系统应一次配足平衡锤质量，不得通过调整平衡锤配重降低最大静张力差。

4 有变坡段的斜井井筒，应分别计算重车在各变坡段的最大静张力和最大静张力差。

5 斜井串车提升终端荷重不得大于矿车连接器的允许最大拉力。

3.3.10 提升运动学计算应符合下列规定：

1 立井箕斗曲轨卸载的提升系统宜采用六阶段速度图，箕斗滚轮进出曲轨时的速度不得大于1.5m/s，外动力卸载的箕斗可采用三阶段速度图；

2 立井罐笼提升系统宜采用五阶段速度图；

3 斜井提升速度图应按具体提升条件确定；

4 提升速度图宜采用变加、减速度的S形曲线。

3.3.11 提升运行井筒阻力系数宜采用下列数值：

1 立井箕斗提升为1.15；

2 立井罐笼提升为1.20；

3 斜井提升为1.10。

3.3.12 井下防撞梁顶面距尾绳环底部的距离可取6m～9m。

3.3.13 提升机安全制动时全部机械减速度计算应符合下列规定：

1 提升机安全制动时，安全制动减速度应满足本规范第3.2.14条的要求；

2 多绳摩擦式提升钢丝绳滑动极限减速度应采用张力比滑动极限法计算，且各种提升载荷和状态的安全制动减速度不得大于钢丝绳滑动极限减速度；

3 落地式多绳摩擦式提升钢丝绳滑动极限减速度计算，摩擦轮两侧钢丝绳静张力和变位质量计算应计入上、下钢丝弦长部分质量的影响；

4 多绳摩擦式提升钢丝绳与摩擦轮间摩擦系数的取值不得大于0.25；

5 安全制动减速度应计入提升钢丝绳和尾绳质量差所引起的不平衡重，且不平衡重量应计入重载侧。

3.3.14 提升设备的传动效率宜按制造厂提供的数据计算，在设备没有给定值时，可采用下列数值：

1 直联传动为0.98；

2 行星齿轮减速器传动为0.92；

3 平行轴减速器传动为0.85～0.90。

3.3.15 提升机电动机应按电动机发热条件和过载能力校验，并应符合下列规定：

1 提升系统等效力应按下式计算：

$$F_d = \sqrt{\frac{\sum F_i^2 t_i}{T_d}} \quad (3.3.15\text{-}1)$$

式中：F_d——等效力(N)；

$\sum F_i^2 t_i$——i阶段力的平方与该阶段时间乘积之和($N^2 s$)；

T_d——等效时间(s)。

2 等效时间应按下式计算：

$$T_d = C_1 T_s + T_e + C_2 \theta \quad (3.3.15\text{-}2)$$

式中：C_1——电动机低于额定转速运行时的散热不良系数，有强迫通风时取 1.00，无强迫通风时取 0.50；

T_s——额定速度以下的运行时间之和(s)；

T_e——额定速度或额定速度以上的运行时间(s)；

C_2——电动机停歇时间的散热不良系数，有强迫通风时取 1.00，无强迫通风时取 0.33；

θ——提升休止时间(s)。

3 等效容量应按下式计算：

$$N_d = \frac{F_d V_E}{1000\eta} \quad (3.3.15\text{-}3)$$

式中：N_d——等效容量(kW)；

V_E——提升电动机的额定转速折算至卷筒圆周的速度(m/s)；

η——传动效率。

4 电动机容量储备系数宜按 1.05～1.1 选取。

5 电力电子调速方式电动机的过载能力应按下式校验：

$$\lambda = \frac{F_{max}}{F_e} \leqslant (0.95 \sim 1.00)\lambda_m \quad (3.3.15\text{-}4)$$

式中：λ——过载系数；

F_{max}——力图上的最大运动力(N)；

F_e——电动机额定出力(N)；

λ_m——电动机过载系数。

6 电力电子调速方式电动机特殊力的过载能力应按下式校验：

$$\lambda_t = \frac{F_t}{F_e} \leqslant \lambda_m \quad (3.3.15\text{-}5)$$

式中：λ_t——特殊力过载系数；

F_t——特殊运动力(N)。

7 采用弱磁调速(恒功率调速)，在计算电机等效功率和校验电机过载能力时，应计入电机磁通变化产生的影响。

3.4 提升工艺布置

3.4.1 井塔式多绳摩擦式提升设备布置应符合下列规定：

1 井塔平面尺寸应根据设备的布置形式，吊装方式，运行、维护及检修条件等因素确定。

2 多绳摩擦式提升井塔防撞梁底面至导向轮层楼板的最小距离宜符合下式要求：

$$h \geqslant 1.1 h_1 \qquad (3.4.1)$$

式中：h——防撞梁底面至导向轮层楼板的最小距离(m)；

1.1——悬挂装置高度系数；

h_1——提升容器悬挂装置最大高度(m)。

3 提升机和电动机的突出部分与墙的净距不宜小于1.2m，当采用直联悬挂式电动机时，应留有电动机的安装与检修空间。

4 同层布置两台提升机时，应符合下列要求：

　　1）平行布置闸座基础之间的净距应满足液压管路布置要求；

　　2）应分别设置封闭的操纵室。

5 带减速器传动的提升机，其润滑站及水冷却系统宜布置在导向轮层或夹层。

6 用于电动机冷却的通风机宜布置在导向轮层或下面其他层，且通风机引起的噪声不应干扰司机操作。

7 导向轮宜布置在该层楼板上面，且导向轮轮缘距地面不宜小于50mm。

8 导向轮及导向轮层的钢丝绳宜设置防护装置，并应方便检修、验绳。

9 提升机及电动机宜设置活动防护栏杆。

10 摩擦轮车槽装置下方应设站人平台，距摩擦轮不宜小于1.7m，站人平台应设有护栏及方便维修人员上下的爬梯。

3.4.2 井塔式多绳摩擦式提升设备的吊装方式应符合下列规定：

1 宜采用井塔内吊装孔方式；

2 起重机主钩极限位置应能满足最大件设备在吊装孔中的位置；

3 吊装设备与吊装孔边缘的最小间距不宜小于100mm；

4 井塔各层吊装孔应设置有足够刚度的活动盖板。

3.4.3 井塔式多绳摩擦式提升起重设备的布置方式应符合下列规定：

1 起重机设备应满足提升机设备的起吊、安装、检修要求。

2 当起重机主梁底面跨越电梯曳引机控制柜时，其净距不应小于500mm。

3 应设置方便起重机维护的检修爬梯。

4 井塔式多绳摩擦式提升机主机层至起重机轨面的高度不应小于表3.4.3规定的数值，当需跨越设备吊装时，轨面高度应经计算确定。

表3.4.3 井塔式多绳摩擦式提升机主机层至起重机轨面高度(m)

摩擦轮直径	3.25及以下	3.5～4.0	4.5及以上
轨面高度	7.0	7.5	8.0

5 起重机上部最突出部位与井塔土建结构的最小距离不得小于250mm，并应满足设备检修空间的要求。

3.4.4 井塔电梯布置方式应符合下列规定：

1 电梯井道宜布置在井塔一角；

2 从井塔底层起，电梯井道每层应开门；

3 电梯井道各层厅门与设备、护栏及土建结构的距离不得小于2m；

4 曳引机及电控部分不宜设封闭式机房；

5 应设置通向机房的爬梯或楼梯。

3.4.5 地面提升设备布置应符合下列规定：

1 提升机房的结构形式应根据提升设备的形式、吊装方式、运行、维护及检修条件等因素确定，电动机不带管道通风的提升机房宜采用单层结构;带管道通风的宜采用双层结构。

2 井架防撞梁底面至天轮中心的距离宜符合下式要求：

$$h \geqslant 1.2h_1 + 0.75R \qquad (3.4.5\text{-}1)$$

式中：h——防撞梁底面至天轮中心的最小距离(m)；

1.2——悬挂装置高度系数；

h_1——提升容器悬挂装置最大高度(m)；

R——天轮半径(m)。

3 提升机和电动机的突出部分与墙的净距不得小于 1.2m，当采用直联悬挂式电动机时，应留有电动机的安装与检修空间。

4 双层结构的提升机房，液压站与提升机应同层布置，并应方便观察、维护和检修。

5 提升系统布置两台提升机时，应满足下列要求：

1）提升设备的布置形式应根据矿井总平面和井架结构形式通过技术经济比较后确定，当工业场地条件允许时，大型提升机宜采用异侧布置；

2）提升机同侧布置且在同一提升机房时，应分别设置封闭的操纵室；

3）有条件时，服务于两个井筒的提升机可在一个提升机房内垂直布置；

4）同侧双层结构提升机房，提升机宜同层布置。

6 用于冷却电动机的通风机宜布置在下层或放在室外，通风机引起的噪声不应干扰司机操作。

7 钢丝绳出绳孔应挂帘封闭，并应设爬梯及站人平台。

8 落地式多绳摩擦式提升两组天轮之间的垂直中心距不得小于天轮直径加 1.0m，且上、下天轮钢丝绳弦长最小距离不得小于 0.5m。

9 提升机及电动机宜设置护栏。

10 提升机房应有不少于 2 个通向室外的出口。

3.4.6 地面提升设备的吊装方式应符合下列规定：

1 双层结构提升机房设备的吊装宜采用室内吊装孔方式；

2 吊装孔宜布置在室内一角，且起重机主钩极限位置应能满足设备最大件吊装；

3 吊装设备与吊装孔边缘的最小间距不宜小于100mm；

4 吊装孔应设置有足够刚度的活动盖板。

3.4.7 地面提升机房起重设备的布置方式应符合下列规定：

1 起重设备应能满足提升机设备的起吊、安装和检修要求。

2 落地式多绳摩擦式提升机房起重机主梁与提升机主轴应平行布置，单绳缠绕式提升机房起重机主梁与提升机主轴宜垂直布置。当起重机大车行走至极限位置，主梁底面高出钢丝绳相应位置不应少于100mm，并应按此条件确定起重机轨面高度。

3 应设置爬梯方便起重机检修。

4 起重机上部最突出部位与土建结构的最小距离应能满足设备安装、检修空间要求。

3.4.8 斜井提升地面车场布置应按下列要求确定：

1 车场形式应根据矿井地形、地貌特征以及总平面布置确定。

2 甩车场串车提升宜采用下列条件：

　1）井口栈桥倾角宜采用8°～10°；

　2）井口至岔尖距离，单钩提升宜取15m～18m，双钩提升宜取20m；

　3）停车线宜为串车长度的1.2倍；

　4）过卷距离宜按本规范表3.2.12-2的数值选取。

3 平车场串车提升宜采用下列条件计算：

　1）井口至摘钩点距离宜按2倍的串车组长度再增加1m～2m；

　2）串车组牵引角（停车点矿车钩头至天轮的钢丝绳仰角）宜小于20°；

　3）摘钩点至天轮钢丝绳的悬垂重量不宜小于天轮至提升机

卷筒钢丝绳的悬垂重量,不满足要求时,天轮至提升机卷筒之间宜设置钢丝绳托架;

4）斜井升降特大型设备时,井口宜设单开道岔。

3.4.9 提升设备的各种管线敷设应符合下列规定:

1 单层地面及井下提升机房的管线敷设宜设管沟,管沟应设盖板。

2 地面双层结构提升机房及井塔,管线在楼板上方敷设时,应能方便行人且不影响设备维护检修,必要时应加防护装置;在楼板下方敷设应有固定管线装置,穿楼板管线应加保护套管。

3 各种阀门设置应能方便操作,必要时应加防护装置。

3.4.10 井下提升机的设备布置应符合下列规定:

1 提升机硐室大小应根据提升设备的形式、运行、维护及检修条件等因素确定;

2 提升机和电动机的突出部分与墙壁的净距不得小于1.0m,当受硐室宽度限制时,电动机可在壁龛安装,壁龛体积应满足最小通道及安装要求;

3 液压提升机宜将供油泵站与主机分设硐室布置,并应符合噪声规定及通风要求;

4 提升机运搬通道、检修场地应根据现场实际情况确定。

3.5 辅 助 设 备

3.5.1 提升机房和井塔的起重机应按下列条件选用:

1 起重机的选择应满足起重工作环境条件、止点的位置以及起重设备制造、安装的要求;

2 起重量宜根据提升机设备安装时的最大件质量确定;

3 电动起重机应选用机房地面按钮控制;

4 井塔式多绳摩擦式提升机,采用塔内吊装时,宜选用电动超卷扬起重机;

5 地面提升机房起重机当起重量小于或等于20t时,宜选用

手动,大于 25t 时宜选用电动;

 6 井下提升设备宜采用起重梁;

 7 起重机的尺寸和性能参数应根据其工作性质及特点确定,起重机整机工作级别可采用 A1～A3,大钩起升速度宜为 0.3 m/min～3.0m/min。

3.5.2 井塔式多绳摩擦式提升,塔内应设置电梯,电梯宜选用载重量为 500kg～1000kg 的乘客电梯,运行速度宜选用 1.0m/s～2.0m/s。电梯的层、站数应根据井塔的层数确定。

3.5.3 提升机主电机需要管道通风冷却时,冷却系统应符合下列要求:

 1 根据电动机需要的风量和风压选用通风机;

 2 进入电动机的冷却空气应经过除尘净化,除尘净化设备宜设在通风机进风口前,通风机进风口应采取挡雨措施;

 3 冷却用通风机宜采用变频调速。

4 电　气

4.1 负荷分级和供电电源

4.1.1 矿井提升机的电力负荷等级划分应符合下列规定：

　　1 经常升降人员的立井提升机、暗立井提升机应为一级负荷；

　　2 除一级负荷外的主井和副井提升机应为二级负荷；

　　3 除一、二级负荷外的其他提升机应为三级负荷；

　　4 提升机的控制装置、维持提升机运行的辅助用电设备负荷等级应与提升机主回路用电设备的负荷等级相同。

4.1.2 提升机供电电源应符合下列规定：

　　1 一级负荷的提升机应由双电源供电；

　　2 主井和副井提升机设备房（井塔）宜由直接从变电所馈出的两回专用线路供电，提升设备房的其中一回电源线路亦可引自另一邻近提升设备房的配电装置。

4.2 电气传动系统

4.2.1 电气传动系统电源装置的选择应符合下列规定：

　　1 提升机电力传动系统的选择，应依据电网容量，电动机容量，生产环节重要程度，系统的先进性、可靠性和产品价格，作业环境等因素，通过技术经济比较后确定；

　　2 提升机宜采用电力电子变流器作为电源装置的电气传动系统；

　　3 电动机额定功率为2000kW及以上时，宜采用交流变频传动。

4.2.2 提升机电气传动系统应符合下列要求：

1 应具有四象限运行功能；

2 应设有行程控制器和行程显示器,根据提升速度图准确实现提升速度和位置的设定和调节；

3 应设有完善的保护和闭锁,超速、井筒终端减速区限速保护、过卷和过放等重要保护装置应各自按冗余原则设置,应具有故障显示、诊断功能；

4 应具有功能完善的闸控系统和安全电路,作用于紧急制动的闸控电路和安全电路应按冗余原则设置,超速等重要保护项目及应急操作开关均应分别接入不同的安全电路。

4.2.3 矿井主要提升机的运行方式宜符合下列规定：

1 主井提升机宜具有手动、半自动、全自动、应急、检修等运行方式；

2 副井提升机宜具有手动、半自动、应急、检修等运行方式；

3 井下提升设备宜根据提升工艺要求,具备相应的半自动、手动、检修等运行方式。

4.2.4 提升机电控系统设保护和联锁应符合现行国家标准《矿山电力设计规范》GB 50070 的有关规定。

4.2.5 提升机电控系统应具有与矿井综合自动化系统联网通信功能。

4.3 电气设备布置

4.3.1 井塔式多绳摩擦式提升机电气设备布置应充分利用井塔各层空间,按照功率流的顺序由下至上依次布置。

4.3.2 落地式多绳摩擦式提升机或单绳缠绕式提升机电气设备宜与主机在同一建筑联合布置,并可设与主机室分隔开的配电室及操纵室。

4.3.3 操作台和提升信号显示装置宜布置在提升机附近；控制装置宜与提升机同层安装,设备外廓与旋转机械突出部位的距离不宜小于2m,与非旋转机械突出部位的距离不宜小于1.5m。

4.3.4 地面提升机的电气设备布置应符合下列规定：

1 20kV及以下配电、控制设备以及变压器的安装应符合现行国家标准《20kV及以下变电所设计规范》GB 50053和《低压配电设计规范》GB 50054的有关规定；

2 开启式电气设备应设置带门的栅栏保护或设置在单独的房间内；

3 变流设备的安装应防止对操作和设备运行环境产生较大的噪声影响和电磁干扰；

4 当同一井塔或机房内安装两台提升机时，两套电控设备的安装位置应明显分开；

5 外循环冷却系统设备宜单独设置在冷却设备间内。

4.3.5 井下提升机的电气设备布置应符合现行国家标准《煤矿井下供配电设计规范》GB 50417的有关规定，并应符合下列规定：

1 提升机电气设备宜与主机在同一硐室联合布置，当受条件限制时，电气设备可布置在独立硐室内；

2 提升机电气设备不宜与其他电气设备混合安装。

4.4 电缆选择及敷设

4.4.1 提升设备电力电缆型式与截面选择、电缆敷设应按现行国家标准《电力工程电缆设计规范》GB 50217的有关规定执行。

4.4.2 井下提升设备电力电缆型式与截面选择、电缆敷设除应满足现行国家标准《电力工程电缆设计规范》GB 50217的有关规定外，尚应符合下列规定：

1 井下提升设备应选择煤矿用钢带铠装聚氯乙烯绝缘电缆或煤矿用钢带铠装交联聚乙烯绝缘电缆；

2 井下电缆敷设应符合现行国家标准《煤矿井下供配电设计规范》GB 50417的有关规定；

3 井筒和巷道内垂直敷设的电缆支架间距不宜大于 6m,水平敷设的电缆支架间距不宜大于 3m;

4 机电硐室内高低压电缆敷设宜采用井巷壁上吊挂敷设方式。

4.5 提升信号与通信

4.5.1 提升信号装置及通信设备应符合现行国家标准《煤炭工业矿井设计规范》GB 50215 的有关规定。

4.5.2 提升信号应包括工作、检修、紧急停车信号及直通电话。

4.5.3 提升信号装置应设专用电源,信号电源电压不应大于 127V,并应采用不接地系统。

4.5.4 立井提升除应设置常用信号装置外,还应设置备用信号装置,备用信号电源应采用专用电源线路,电源要求与常用信号装置相同。

4.5.5 信号装置应兼备声光信号、提升钩数记忆、显示和信号的存储等功能。

4.5.6 提升信号装置应具备信号发送程序闭锁与提升机电控回路闭锁功能。

4.5.7 在同一大厅安装两台提升机时,两套提升信号音响应有区别。

4.5.8 提升信号装置应采用可编程序控制器(PLC)控制系统,并应有与提升机电控系统通信的接口。

4.5.9 主井提升信号装置应符合下列规定:

1 工作信号应具有自动发送和手动发送功能;

2 当有溜煤嘴时,应设置溜煤嘴正常位置指示灯及防撞闭锁;

3 当设置自动信号时,信号回路应与装卸载设备联锁;

4 应设置停车及装、卸载指示灯;

5 井底及井口煤仓应设煤位信号,当采用自动信号时,应与提升信号回路联锁；

  6 大型箕斗宜设箕斗卸空信号，并应与提升信号联锁；

  7 开车信号应为保留式信号。

4.5.10 副井提升信号装置应符合下列规定：

  1 副井双容器提升的工作信号应经井口转发，井底及中间水平应能向提升机司机直发紧急停车信号；

  2 开车信号应为保留式信号，并应设置提人、提物及检修指示；

  3 井口、井底及中间水平的井口安全门与提升信号应设闭锁装置，只有安全门关闭后方能发出开车信号，并在发出开车信号后，未发出停车信号前，应不能用手动方式打开安全门；

  4 应设置摇台（锁罐装置）正常位置指示灯及防撞闭锁。

4.5.11 提升机房应设行政电话、调度电话，司机与井口及井下各水平信号工应有对讲通话装置，并应设检修对讲通信装置。

4.6 照 明

4.6.1 地面提升机房照明应采用双电源。

4.6.2 各类地面提升建筑物照明应符合下列规定：

  1 操纵室照明的照度不应低于 200 lx，其他设备层不应低于 100 lx；

  2 主机房重要的工作地点应有局部照明；

  3 各电气设备层应设检修用照明插座；

  4 主机房、配电室及操纵室应设应急照明。

4.7 防雷与接地

4.7.1 提升井塔、井架及机房等建筑物的防雷设计，应符合现行国家标准《建筑物防雷设计规范》GB 50057 和《建筑物电子信息系统防雷技术规范》GB 50343 的有关规定。

4.7.2 提升井塔、井架及机房等建（构）筑物应设防直击雷设施。

4.7.3 电气设备的接地应符合现行国家标准《煤矿井下供配电设计规范》GB 50417和《交流电气装置的接地设计规范》GB/T 50065的有关规定。

5 建 筑

5.1 一般规定

5.1.1 提升建(构)筑物的设计应符合国家现行有关标准的规定,并应根据提升系统特点确定建筑方案,不得随意扩大面积和体积。

5.1.2 建筑设计应具备近期实测地形图、地震、气象和相应阶段的工程地质、水文地质等原始资料。

5.1.3 提升建(构)筑物安全等级的划分应符合现行国家标准《建筑结构可靠度设计统一标准》GB 50068 的有关规定。

5.1.4 提升建(构)筑物抗震设防分类的划分应符合现行国家标准《建筑工程抗震设防分类标准》GB 50223 的有关规定。建(构)筑物的抗震设计应符合现行国家标准《建筑抗震设计规范》GB 50011 和《构筑物抗震设计规范》GB 50191 的有关规定。

5.1.5 提升建(构)筑物的耐火等级应符合现行国家标准《煤炭工业矿井设计规范》GB 50215 的有关规定。

5.1.6 提升建筑物外观应与工业场地各建筑物的色彩协调,并应立面简洁、层次分明,经常有人工作的室内应进行装修。

5.2 提升建筑物和构筑物

5.2.1 落地式多绳摩擦式提升井架宜采用钢结构型式,双斜撑或单斜撑井架应通过技术经济比较后确定。井架的设计应符合现行国家标准《矿山井架设计规范》GB 50385 的有关规定。

5.2.2 井塔宜采用钢筋混凝土结构,当井塔有特殊要求时也可采用钢结构。

5.2.3 地面提升机房宜采用钢筋混凝土结构或钢结构。

5.2.4 根据施工条件和进度,井塔、井架设计可兼作凿井用。

5.2.5 提升设备基础宜采用混凝土整体式基础,并应进行强度计算和倾覆、滑移验算。

5.2.6 落地式多绳摩擦式提升井架当设钢丝绳防寒廊时,应将井架全封闭,并应留有便于更换天轮的设施和通道。

5.3 提升建筑物设施

5.3.1 井塔主机层或下一层、二层应设置卫生间,地面提升机房有条件的也可设置卫生间。

5.3.2 井塔内除设电梯外,还应设有人员上下的梯子间。

5.3.3 井塔、地面提升机房室内外噪声源较大,影响提升机操作运行时,应采取降噪措施。

6 给排水及采暖通风

6.1 给 排 水

6.1.1 地面提升机房可按地面工业建筑设置必要的生产、生活给排水系统，可不设置室内消防给水。

6.1.2 井塔式多绳摩擦式提升应在提升机主机层和有较多电器设备的楼层设消防给水，充实水柱应按10m，当两股水柱同时到达时，每股水量应按5L/s。井塔内可不设自动喷水灭火系统。

6.1.3 井塔给水方式宜采用管网给水。当管网水压不能满足井塔给水要求时，可单独设局部加压设备。给水加压设备宜采用自动控制系统，可不设备用。

6.1.4 井塔或地面提升机房应按现行国家标准《建筑灭火器配置设计规范》GB 50140 的有关规定配备建筑灭火器。

6.1.5 井塔的排水管材宜选用钢管或塑料管，采用钢管应在接入排水管网前采取消能措施，采用塑料管应在立管中采取消能措施。

6.2 采暖和通风

6.2.1 采暖地区的室内采暖温度应符合下列规定：
   1 井塔和地面提升机房的主机层应为 16℃～18℃；
   2 其他各层（间）应为 10℃。

6.2.2 采用钢丝绳防寒走廊的落地多绳摩擦式提升系统，防寒走廊采暖温度可按 5℃。

6.2.3 地面提升机房采暖热媒宜采用热水，提升井塔热媒宜采用蒸汽，饱和蒸汽压力应小于或等于 0.2MPa。

6.2.4 采暖散热器可根据各层的系统压力及使用功能选用不同

的散热器或暖风机。

6.2.5 发热量较大的电气间应设机械通风,并宜设置空气调节装置。

本规范用词说明

  1 为便于在执行本规范条文时区别对待,对要求严格程度不同的用词说明如下:
  1) 表示很严格,非这样做不可的:
    正面词采用"必须",反面词采用"严禁";
  2) 表示严格,在正常情况下均应这样做的:
    正面词采用"应",反面词采用"不应"或"不得";
  3) 表示允许稍有选择,在条件许可时首先应这样做的:
    正面词采用"宜",反面词采用"不宜";
  4) 表示有选择,在一定条件下可以这样做的,采用"可"。
  2 条文中指明应按其他有关标准执行的写法为:"应符合……的规定"或"应按……执行"。

引用标准名录

《建筑抗震设计规范》GB 50011
《20kV及以下变电所设计规范》GB 50053
《低压配电设计规范》GB 50054
《建筑物防雷设计规范》GB 50057
《交流电气装置的接地设计规范》GB/T 50065
《建筑结构可靠度设计统一标准》GB 50068
《矿山电力设计规范》GB 50070
《建筑灭火器配置设计规范》GB 50140
《构筑物抗震设计规范》GB 50191
《煤炭工业矿井设计规范》GB 50215
《电力工程电缆设计规范》GB 50217
《建筑工程抗震设防分类标准》GB 50223
《建筑物电子信息系统防雷技术规范》GB 50343
《矿山井架设计规范》GB 50385
《煤矿井下供配电设计规范》GB 50417
《重要用途钢丝绳》GB 8918
《多绳摩擦式提升机》GB/T 10599
《平衡用扁钢丝绳》GB/T 20119
《单绳缠绕式矿井提升机》GB/T 20961
《压实股钢丝绳》YB/T 5359

中华人民共和国国家标准

煤矿提升系统工程设计规范

GB/T 51065-2014

条文说明

制订说明

《煤矿提升系统工程设计规范》GB/T 51065—2014,经住房城乡建设部 2014 年 12 月 2 日以第 660 号公告批准、发布。

本规范制订过程中,编制组做了大量的调查研究,总结了我国煤矿提升系统工程的设计实践经验,并参考了国外先进技术法规、标准。

为便于广大设计、施工、科研、学校等单位有关人员在使用本规范时能正确理解和执行条文规定,《煤矿提升系统工程设计规范》编制组按章、节、条顺序,编制了本规范的条文说明,对条文规定的目的、依据以及执行中需注意的有关事项进行了说明。但是,本条文说明不具备与规范正文同等的法律效力,仅供使用者作为理解和把握本规范规定的参考。

目　次

1 总　　则 ……………………………………………………（45）
3 提升系统机械工艺 …………………………………………（47）
  3.1 一般规定 ………………………………………………（47）
  3.2 提升系统 ………………………………………………（49）
  3.3 提升设备选型计算 ……………………………………（58）
  3.4 提升工艺布置 …………………………………………（60）
  3.5 辅助设备 ………………………………………………（62）
4 电　　气 ……………………………………………………（64）
  4.1 负荷分级和供电电源 …………………………………（64）
  4.2 电气传动系统 …………………………………………（64）
  4.3 电气设备布置 …………………………………………（65）
  4.4 电缆选择及敷设 ………………………………………（65）
  4.5 提升信号与通信 ………………………………………（65）
  4.6 照明 ……………………………………………………（65）
  4.7 防雷与接地 ……………………………………………（65）
5 建　　筑 ……………………………………………………（66）
  5.1 一般规定 ………………………………………………（66）
  5.2 提升建筑物和构筑物 …………………………………（66）
6 给排水及采暖通风 …………………………………………（67）
  6.1 给排水 …………………………………………………（67）
  6.2 采暖和通风 ……………………………………………（68）

1 总 则

1.0.1 本条明确了编制《煤矿提升系统工程设计规范》(以下简称"本规范")的总体原则。

贯彻国家有关煤炭工业的法律、法规,力求保证煤矿矿井提升系统设计安全可靠、技术先进、经济合理,这是本规范制定的主要目的。

过去煤炭行业只是对某些具体的提升系统编制过一些规范、规定,这些专业规范、规定在当时的历史时期对矿井提升设计方面起到了积极作用。随着社会经济、科学技术不断发展,许多新材料、新技术、新工艺、新设备不断应用于提升工程,体现了煤炭行业的科技发展水平,促进并改善了矿井安全生产条件,使现代提升技术达到了一个新的高度,因此,本规范通过总结已应用于现场的新技术、新工艺,为全面发展提升技术奠定基础。

本规范通过总结我国煤炭行业提升工程现状,结合国内外科技发展水平,吸收国外先进的设计理念,为从事矿山提升设计的工程技术人员搭建一个设计平台,充分发挥设计人员的创造力,使其在设计过程中树立先进、合理、安全、节约思想,不断更新设计理念,提高创新意识,保证设计质量,使煤矿提升工程适应煤炭工业可持续发展的需要。

1.0.2 按现行国家标准《煤炭工业矿井设计规范》GB 50215 的规定,设计生产能力划分为大型、中型、小型三种类型,本规范适用于新建、改建、扩建矿井提升系统的工程设计。

1.0.3 本条说明了本规范的内容界限,适用于煤矿井上下多绳摩擦式和单绳缠绕式提升系统的工程设计。矿井提升是一个系统工程,涉及多专业,有些专业有本专业通用规范、规定,但因为矿井提升的特殊性，在本规范中对涉及矿井提升的相关专业作出相应规定，使规范较完整地服务于广大设计人员。

对于带式输送机提升、凿井提升、斜巷无极绳提升、无轨胶轮车、斜巷架空乘人装置（猴车）以及移动或辅助性提升等内容，由于有的提升系统有专业规范，例如现行国家标准《带式输送机工程设计规范》GB 50431；有的不包括工程设计内容，如凿井提升；有的系统工程设计使用较少或较简单，重要性不强，因此，这些名义上的提升系统本规范不包括。

1.0.4 矿井提升系统是矿山安全生产非常重要的环节，具有科技含量高，多专业协作和系统复杂不宜大规模改造的特点，要求基础工作阶段应根据矿井开拓、开采条件进行多方案比较，对服务年限较长、储量较大的矿井，原则上主、副井提升应考虑以后可能提高产量的因素，虽然初期投资有所提高，但从矿井总投资看，增加部分的工程量、设备对其影响并不大，根据对国内多座矿井的调查分析，主、副井提升系统设备、设施由于井型、装备水平不同，除个别系统外，平均约占矿井总投资的3%～8%，如果按装备水平差额计算，增加投资平均不到矿井总投资的1%，而对于提升系统重要性、兼顾企业长远发展来说，这个比例并不大，因此，这个问题在设计过程中是需要考虑的。

在设计过程中通过全面分析，合理提出提升能力、装备水平与建设投资的关系是确定提升方案的重点，制定提升方案原则应从技术先进性、经济合理性方面进行评价，总体看大型矿井装备水平应高一些，中型矿井在保证技术先进性同时可略低一些。

3 提升系统机械工艺

3.1 一般规定

3.1.1 本条规定了提升系统方案确定的基本原则。

1 近些年我国相继开发了一些采用立井提升的大型矿井,这些矿井的普遍特点是大型化、无轨化,装备水平较高,提升系统占矿井总投资的比重较大,因此,确定提升系统采用一套或多套应进行技术经济分析比较,原则是在满足安全性、可靠性和提升能力情况下,采用先进技术、简化提升系统。

20世纪七八十年代大型矿井或个别中型矿井副立井提升普遍采用两套提升系统,一套提升系统配置一宽一窄罐笼,主要用于人员、矸石、材料、设备等辅助提升,另一套提升系统配置交通罐带平衡锤提升,主要考虑人员临时升降或调节矿车升降流量,当时矿井开拓、开采机械化程度较低,井下作业面较多,大量工作需要依靠人工作业,由于受开拓方式、采煤方法等条件限制,下井作业人员较多,矸石、材料提升量较大,由此引起副井提升时间普遍偏紧,另外,受当时装备制造业技术发展水平限制,提升系统设备能力普遍较小,拖动大多是绕线电机串电阻调速方式,由继电器控制,可靠性较差。

进入90年代后,煤炭各项技术水平发展较快,矿井全员效率提高使井下作业人员减少,合理的开拓、开采布局使矿井矸石、材料大量减少,提升设备以电力电子调速为主,由PLC控制,可靠性大大增强,且故障率也较低,因此,许多中型矿井副井提升设备基本为一套,但特大型矿井的副井提升多采用两套提升设备。

2 本款规定主要基于以下三个方面的考虑:第一,从安全角度考虑,对于井深超过700m或生产能力为5.00Mt/a及以上的现代化大型矿井,副井增设交通罐提升设备,投资不会增加很多,但副井提升的安全性可大大提高,在大罐笼提升设备故障的情况下,仍可保证井下工人安全升井,这一点对深井尤为必要;第二,增设小型交通罐提升设备,可以解决升降零星人员、减少大罐笼的运行次数,达到节电降耗的目的;第三,可以充分发挥大罐笼提升设备的提升能力。本款规定是以副井设置一套提升设备满足提升能力要求为前提,否则应按本条第 1 款执行。

4 多绳摩擦式提升机具有能力大、可靠性高、适用于不同井深的特点,当大型设备按整体升降设计提升系统时,宜采用多绳摩擦式提升。

副井提升容器可以有多种配置形式,为了适应大型设备整体升降,罐笼一般要求宽度、长度较大,如果另一侧配一个窄罐笼,就有可能使井筒直径加大,在单罐笼已满足提升能力的情况下,加大井筒断面显然不合理,虽然平衡锤提升方式效率较低,但在副井提升量不大的情况下,采用罐笼带平衡锤提升是较为合理的提升方式,目前国内大型矿井也较多采用这种提升方式。

3.1.2 本条给出了确定井塔式或落地式多绳摩擦式提升方案的主要分析原则,特殊条件应结合矿井特点分析确定。

1 气象条件分析原则是寒冷地区(一般-25℃以下)、冬季月平均降水量较大(一般 20mm 以上)地区,采用井塔式提升较为有利;

地质条件较差、地基承载力低、地震烈度高的地区,采用落地式提升较为有利。

当不满足自然条件时,应按最不利条件确定提升方式,例如鸡西荣华矿井,虽然处于寒冷地区,但井口地基承载力低,采用井塔式提升可靠性较差,因此采用落地式提升,通过增加钢丝绳防寒走廊、封闭井架、内部采暖的防寒措施解决落地式提升的不利因素。

对于地震烈度高的地区,通过设防也可以采用井塔式提升,我国有些地区就是设防井塔。

2 工业场地面积较小,地面建筑、道路、轨道、管线布置紧凑,采用井塔式提升有利。

3 一般施工组织合理的情况下,控制建设总工期采用落地式提升有利。

5 工程总投资比较项目应具有可比性,包括机械和电气设备、土建、安装等内容。

3.1.3 寒冷地区采用落地式多绳摩擦式提升主要存在外露钢丝绳防结冰的问题,表面结冰的钢丝绳运行时将使衬垫的摩擦系数急速下降,提升机运行容易引起钢丝绳滑动,严重时有可能造成提升事故。通过调查分析发现,钢丝绳结冰实际上是钢丝绳表面缝隙的充填冰,它是由井筒淋水或大气降水附着在钢丝绳表面通过速冻、挤压逐步积累形成的,这种冰除了融化其他方法不易清除,因此寒冷、冬季降水量较小地区,井筒淋水不大时,采用落地式多绳摩擦式提升可不加外露钢丝绳防护装置,例如辽宁辽阳铧子石膏矿、红祥煤矿,河北蔚县崔家寨煤矿均为外露钢丝绳,多年运行正常,反之,应考虑外露钢丝绳加防寒措施。设置防寒走廊的井架将引起换绳、维护检修设备的困难,因此有必要在走廊内设人行通道,以方便作业。另外,也可采用在提升机机坑内装设暖风机,通过加热摩擦衬垫的方法防止钢丝绳结冰后与提升机衬垫的相对滑动。

3.2 提升系统

3.2.1 本条规定了提升机设备选型的基本原则。

1 我国是提升机制造大国,提升机设备选型应立足国内产品,因此,提升机设备选型应按我国制造标准,当需要成套或部分引进产品时也不能低于国家标准。

3 随着矿井提升技术的不断发展,许多矿井提升机的摩擦轮或卷筒与电动机采用直联方式,取消了减速器,减少了故障点,提高了传动效率,对提升系统安全可靠、节能减排具有重要意义。大型矿井一般提升机规格较大,采用直联传动和电力电子调速具有更显著的效果,因此只要条件合适,应优先采用这种方式。对于中型矿井,则应通过技术经济比较,有条件时也应采用这种方式,如果采用减速器传动,传动系统也应采用电力电子调速方式。

5 井下提升机即便在井底车场附近或是在进风井内分段提升,由于提升设备硐室往往存在扩散通风,对安全非常不利,因此要求井下提升机在各种安装地点应采用防爆型提升设备。

6 对于重要提升系统,配置形式可以高一些,如采用变频调速、可编程控制器(PLC)控制或液力传动提升机,对一般或次要的提升系统,配置可以低一些,同时要考虑设备维护检修的难易程度、是否方便、生产单位技术力量等因素。

7 提升设备更换电动机,通常发生在改建、扩建矿井时,由于涉及基础或建筑结构,电动机更换一般比较困难,因此,应尽量避免更换电动机,确有必要更换时,应从各方面进行论证确定,且不宜多次更换。

3.2.2 本条是对提升机安全制动系统的规定。

1 多绳摩擦式提升闸控系统采用恒减速制动具有在各种制动过程中保持制动减速度基本恒定的特点,可以减小各种提升状态安全制动减速度、减小制动过程中的动力冲击,满足钢丝绳滑动极限减速度的要求。近些年恒减速制动系统应用比较广泛,是提升机闸控系统发展的大趋势,由于价格比恒力矩闸控系统高一些,因此本款不强制规定。

具有二级制动功能的恒力矩液压站,在制动过程中制动力矩不变,但在载荷不同、提升方式不同时,制动减速度不同,为了满足摩擦轮提升的防滑安全性,一般需要采用二级制动。

2 研究和试验表明,在提升机安全制动时易产生钢丝绳振动和提升容器的剧烈震荡,钢丝绳在摩擦轮上易产生滑动或蠕动现象,这样会对提升设备造成较大的动力冲击,因此,本款规定"宜选用带有冲击限制功能的液压站",制动力矩建立的时间应该可控,即制动力矩的增加值有一个缓冲和变化过程,不是突变的,这样,可以大大减小安全制动时的振动冲击力,减小钢丝绳动张力和提升容器的震荡,防止钢丝绳滑动,提高提升系统的安全可靠性。

3.2.4 块式制动器制动力矩小,大部分无二级制动,可靠性差,现已基本淘汰,由于有些地区还有该类型闲置设备,为了节省建设投资可能建设单位要求继续使用,因此在设计时应从严规定不准使用。

3.2.6 钢丝绳在滚筒或摩擦轮上弯曲时,受到弯曲和接触载荷。在螺旋线(钢丝或绳股的轴线)的一个捻距长度上,捻距的一半位于中性轴的凹形面,经受压缩;而另一半位于凸形面,经受拉伸。绳内钢丝因弯曲和原有的张力作用,相互压紧而产生摩擦力,阻止这种位移。为了克服摩擦力使钢丝绳能自由移动,并在一个捻距内找平,就需要加大钢丝绳的张力,这样就产生了附加张力。由于钢丝在钢丝绳中所处的位置不同,弯曲时位移的大小也不相等,或者是获得的附加张力不同,从而使得钢丝绳内的张力重新分布。

曲率半径越小,受压或受拉越大,钢丝疲劳破坏越快。钢丝绳经过天轮、滚筒等弯曲变形的过程,是由直到弯,又由弯到直的变化过程。由于外圆钢丝的运行长度大于内圆钢丝的运行长度,各股和各钢丝之间产生了相对运动,弯曲半径越小,相对运动越明显,是钢丝绳内部各钢丝之间在重载挤压下的摩擦过程,对钢丝绳的强度影响也是明显的,因此对钢丝绳运行中的弯曲半径必须加以限制。

有导向轮的提升钢丝绳,经过导向轮时的弯曲方向与摩擦轮相反,称为二次弯曲。二次弯曲使原来受拉的钢丝受压,原来受压的钢丝受拉,使钢丝也承受了二次弯曲,显然对钢丝绳的疲劳损失比一次弯曲大。因此,对有导向轮的钢丝绳的弯曲半径要求比没有导向轮的大,也就是滚筒直径要大。

本条规定了慢速提升装置,规范了井下大件运输的混乱问题和安全隐患。目前,斜井和井下大件运输很混乱,有采用双速绞车的,有采用提升机的,有采用无极绳的,也有采用地锚加动滑轮的。本条规定的慢速提升装置是指速度小于2m/s、带液压盘式制动的斜井提升装置,专门用于运送大型设备(如液压支架、采煤机等)。

慢速提升装置的卷筒和天轮直径与钢丝绳直径之比≥50。南非煤矿安全规程规定提升机与钢丝绳直径比按下式计算:

$$D/d = 40 + 4V \quad (1)$$

式中:D——提升机卷筒直径(mm);
$\quad d$——提升钢丝绳直径(mm);
$\quad V$——提升速度(m/s)。

3.2.9 多绳摩擦式提升机钢丝绳围包角越大对防滑越有利,但引起钢丝绳反向弯曲角度也越大,对钢丝绳寿命将产生直接影响。规定围包角极限值,控制钢丝绳防滑在一定范围之内,又不致引起钢丝绳过快损坏。

3.2.10 本条规定了提升钢丝绳选型的基本原则。

1 本款规定了钢丝绳安全系数的数值。为保证矿井提升机安全可靠地工作,钢丝绳安全系数应满足下列条件:应保证钢丝绳能承受矿井的各种正常载荷,如装载、加减速、紧急制动、扭转、多根钢丝绳张力不平衡等因素产生的拉力载荷。应保证钢丝绳实际拉力小于计算疲劳寿命时钢丝屈服应力的极限拉力和报废拉力。

对于立井罐笼升降无轨胶轮车,当司机不能下车时,可按升降物料校核钢丝绳安全系数。无轨胶轮车运输物料总重量通常比升降最大件重量要小,并且每车只有一名司机,车内司机很难从罐笼内的无轨胶轮车上出来,如果按升降人员校核钢丝绳安全系数,有时可能不满足要求,需要钢丝绳和提升机升级;而用升降物料校核钢丝绳安全系数,并不影响提升的安全性。

本款规定了斜井慢速提升装置的钢丝绳安全系数,斜井提升机在运行过程中可能承受的冲击力有提升容器突然卡住、提升机突然卡住、紧急制动、松绳冲击等。其中以提升容器瞬间卡住时的冲击力为最大,其计算式为:

$$f_{dk} = mV\omega \tag{2}$$

式中：f_{dk}——提升容器瞬间卡住时的冲击力(N)；

m——提升系统的总惯性质量(kg)；

V——提升速度(m/s)；

ω——提升钢丝绳的振动频率(1/s)。

由式中可以看出，钢丝绳承受的冲击力与提升速度成正比，与提升系统的总惯性质量成正比，与提升钢丝绳的振动频率成正比。显然在提升速度小于 2m/s 及提升速度为 4m/s 的提升系统，钢丝绳的冲击力差 2 倍以上。适当降低钢丝绳，按矸石山提升机的数值是很富裕的。

晋城寺河、赵庄矿，采用这样的慢速提升机运送 60t 大件，已成功使用了 10 年，积累了许多宝贵的慢速提升机的设计和使用经验。另外，有许多矿井采用双速绞车运送大件，安全隐患很大。

2 在钢丝绳的选择上，相关规程和标准只对拉伸、弯曲等有详细规定，没有规定扭转要求，研究表明，钢丝绳的扭转使得钢丝绳截面上应力分布不均，内层钢丝受力大于外层钢丝绳的 2 倍，造成内层钢丝过载，很容易引起钢丝断裂。当井筒深度大于 800m 时，由钢丝绳质量引起的提升钢丝绳扭转是钢丝绳损坏的主要因素。国外专家对三角股钢丝绳进行的研究表明，在井深为 700m 时使用寿命平均为 2 年，而在井深超过 800m 时其寿命降低一半。从目前国内矿井钢丝绳的使用情况来看，深井提升钢丝绳寿命较短，甚至有的矿井使用不到 3 个月，频繁地更换钢丝绳，不仅影响了矿井企业的效益，而且造成了极大的浪费，因此合理选择钢丝绳的结构，提高钢丝绳的使用寿命尤为重要。国外使用的抗扭转钢丝绳主要有交互捻钢丝绳和阻旋转钢丝绳。

3 钢丝绳公称抗拉强度为 1770MPa 以上规格时，其反复弯曲次数、扭转次数等性能指标有所降低，对钢丝绳寿命产生一定影响，因此，一般情况下不宜采用，特殊情况下可根据提升系统特点，通过论证确定是否采用。

4 平行捻即线接触钢丝绳具有磨损小、寿命长的特点,但现行国家标准《重要用途钢丝绳》GB 8918 中还有部分点接触圆股钢丝绳,因此,进一步规定矿井提升用绳。

5 斜井提升由于经常摘挂钩,钢丝绳有时沿地面运行,因此,要求钢丝绳耐磨,且旋转力矩较小,压实股或交互捻钢丝绳比较适用于这种场合。

6 扁尾绳不易旋转,结构扁宽,高速运转时绳端惯性力较小,尾绳环受力较圆股好,且与主提升钢丝绳配置较好,因此,现使用较广泛。

7 本款对多绳摩擦式提升等重系统尾绳作出规定。规定尾绳数最少 2 根,除了与主绳配置外,还有安全问题,系统采用 1 根尾绳如果断掉,在无平衡绳条件下,可能产生重大事故,而 2 根尾绳同时断掉的情况极少,如果断 1 根,重大事故的概率则大大降低。

一般情况下按尾绳与主绳数量的比值为 2∶1 配置,当主绳、尾绳质量差较大时,也可按 4∶3 配置。提升系统为 2 根尾绳时,质量应相等;为 3 根尾绳时,两侧尾绳质量应相等,中间尾绳质量应按需要确定。

尾绳质量的匹配主要考虑尾绳质量偏移引起的容器重心偏移,偏移过大,对一些提升设施具有破坏作用,如罐道、罐耳等。

8 钢丝绳选型时应充分了解井筒淋水以及水、空气环境中的化学物质。地点在海边、有潮湿环境的矿井应考虑采用镀锌钢丝绳,当选用镀锌钢丝绳时,钢丝绳生产厂商会按设计要求进行配丝,因此,不得降低钢丝绳标准中的破断拉力计算钢丝绳安全系数。

9 摩擦脂是针对多绳摩擦式提升钢丝绳保护而采用的一种专用油脂,目的是通过摩擦脂保护,增加钢丝绳使用寿命,同时保证提升系统的安全运行。摩擦脂可在钢丝绳外表喷涂,也可在钢丝绳制造时浸绳芯,涂、浸后的钢丝绳衬垫摩擦系数有所降低。

3.2.11 本条规定了提升钢丝绳的防护措施。

1 尾绳防砸装置是为防止大块物料掉下冲击钢丝绳的装置,该装置应设在井下防撞梁底面以下,距∧形挡板顶部 1m～2m,∧形挡板设在两侧尾绳之间,且平行于尾绳。

2 防扭结挡绳装置设在尾绳防砸装置以下,用钢梁搭成,钢梁上部铺木材或较软的非金属材料,尾绳摆动过量应与这些材料接触。

3 圆尾绳系统提升容器下部应有可靠自动旋转的尾绳悬挂装置,这样可防止圆尾绳的扭结损坏。

3.2.12 本条规定了提升装置的过卷和过放距离。

2 斜井上部甩车场过去没有具体规定过卷距离,由于斜井提升系统使用较广泛,为方便设计,本款规定了地面、井下上部甩车场的过卷距离,其计算依据按下式确定,并四舍五入取整:

$$L_g = 1.5\left[0.5V_{\max} + \frac{V_{\max}^2}{2g(\sin\alpha + f\cos\alpha)}\right] \quad (3)$$

式中:L_g——过卷距离(m);

$V_{\max}$——最大提升速度(m/s);

α——巷道或栈桥倾角(°);

f——矿车运行阻力系数,可取 0.01～0.015。

3 下放容器超前提升容器进入缓冲装置,有利于提前释放提升容器动能,减少重大事故的发生。通常当提升系统发生严重过卷时,井口设施的破坏性往往大于井下设施,过去我国几座多绳摩擦式提升矿井曾发生提升容器全速过卷,导致冲击防撞梁,最后提升主绳全部拉断的重大事故,因此本款规定是十分必要的。

本款只具体规定了下限值,在执行中提升高度较大的系统应适当加大超前距离。

4 当长材料超长,规定的过卷距离不满足起吊要求时,应增加起吊高度,增加部分应计入过卷和过放距离。

3.2.13 跑车防护装置通常指阻车器、井筒挡车栏的总称,其设置应符合本条规定。

1 矿车准备升降物料时,挡车栏应全部关闭,只有矿车接近挡车栏时才打开,通过后及时关闭,即为常闭状态;人车准备升降,挡车栏应全部打开,以避免人车撞击挡车栏发生伤亡事故,即为常开状态。

2 跑车防护装置和提升机电控系统间的闭锁应包括跑车防护装置的关闭或打开;挡车栏前后传感器触发,挡车栏未打开或关闭,提升设备应进行安全制动。

3~5 跑车防护装置具体设置地点,当受现场条件限制时,位置可适当放大或缩小。

6 提升种类主要指人员和物料,其他种类可根据具体情况确定,电气控制挡车栏应具有常开、常闭功能。

3.2.14 在各种载荷和各种提升状态下,安全制动产生的制动减速度计算值不能超过滑动极限。

2 恒减速制动系统制动减速度基本恒定,通过自动调节不同工况时的制动力矩大小来满足钢丝绳滑动极限减速度要求。在恒减速失效后采用恒力矩制动时,由于制动力矩恒定,制动减速度是变化的,对带减速器的多绳摩擦式提升系统往往是重载下放极限减速度不易满足,而对电动机直联的多绳摩擦式提升系统往往是空载运行极限减速度最不易满足,要同时满足上述两种情况,对恒力矩制动的提升系统,往往需要增加许多配重,有的多达几十吨,这样会引起提升设备升级。因此,对于恒减速制动失效转为恒力矩的事故情况,下放重载减速度放宽到大于或等于 $1.2m/s^2$,既保证提升系统的安全可靠性,又减少大量的配重,防止提升设备升级。

3.2.15 箕斗卸载方式涉及提升能力,曲轨卸载机构简单,卸载速度快,休止时间短,但箕斗进入曲轨有冲击,不适用于大型箕斗;外动力卸载机构较复杂,但无冲击,适用于大型箕斗。

3.2.17 本条对箕斗、罐笼的选用进行了原则性规定。

2 三层以上罐笼理论上提升能力大,但通过现场调查,用户反映使用比较复杂,主要是对罐时间长,人员、物料进出耗时较多,并未体现提升能力大的优势,阳泉新景矿、沈阳红阳三井等一些副井原设计均为三层罐笼,后来都改为双层罐笼。

3.2.18 本条对平衡锤的配置要求作了具体规定。

1 按计算质量配置平衡锤,主要是为了防止设备出厂质量误差过大或过小,影响提升系统的准确性。

2 平衡配重太重不便于调整平衡锤质量精度,不便于搬运和安装,特别是在井筒内作业,危险性较大,因此对平衡配重质量进行限制。

3 可调配重的平衡锤实际就是平衡锤质量可调,用可移动配重调节平衡锤质量大小,达到减小电动机通常运行时的功率,实现节能目的。

3.2.20 本条规定了箕斗装卸载环节要求,明确了提升系统的计算依据以及相关配置要求。

3 箕斗采用定重装载,目的是为了防止超载引起提升事故。根据装载设备型式,目前有多种计量方式,这些计量方式与装载设备、提升信号应有闭锁关系。

4 采用计量斗给煤方式,计量斗装载时间应小于一次提升循环时间;采用带式输送机或其他方式给煤,箕斗装载时间应控制在休止时间范围内。

3.2.21 本条规定了立井罐笼提升,井口、井底连接处布置的要求。

4 当井筒较深、大件较重时,钢丝绳的弹性变形必须引起足够重视,这种变形可能影响生产或引发事故,因此应进行必要的计算确定罐笼平层方式,合理选择锁罐或稳罐设备。

5 立井罐笼用摇台摇尖转动应灵活,在事故状态下罐笼通过时,摇尖头部被撞应能向下旋转,允许罐笼安全通过,可防止安全事故。

3.3 提升设备选型计算

3.3.2 本条按"四六"工作制对副井提升设备能力计算取值进行了规定。

过去我国煤矿井下普遍采用"三八"工作制,即每天三班,每班八小时工作制度,近些年,国家对煤矿井下作业人员的劳动保护、身心健康、减少劳动强度、改善劳动环境做了大量工作,提出推行"四六"工作制,即每天四班,每班六小时工作制度。本条顺应国家政策导向,将副井罐笼提升、混合提升、斜井提升和采区提升规定按"四六"工作制计算提升能力。

3.3.6 本条是对现行国家标准《煤炭工业矿井设计规范》GB 50215 有关休止时间规定的补充。

1 现行国家标准《煤炭工业矿井设计规范》GB 50215 只规定了 30t 以下箕斗提升的休止时间,通过实测,普遍小于设计规定休止时间,从趋势上看,箕斗越大,吨单位休止时间越少。由于目前国内大型箕斗投入使用不多,缺少这方面的实测依据,但从淮南几个矿井的实测看,顾桥矿主井 35t 箕斗曲轨卸载休止时间约为 17s,张集矿 40t 箕斗外动力卸载休止时间约为 30s,吨单位休止时间顾桥矿约为 0.49s,张集矿约为 0.75s。安徽两淮矿区箕斗提煤的休止时间普遍较小,"箕斗卸煤过程分析与卸载时间预测"(《煤炭科学技术》2006.2),计算方法较实用,可以在设计取值时参考。因此规定 30t 以上箕斗每增加 1t 休止时间取 0.5s~0.8s 较为合适。

2 我国目前设计采用罐笼升降无轨胶轮车的矿井,大部分正处于建设阶段,即便投入生产,由于各矿管理水平存在差异,休止时间也会有所不同,通过收集部分设计院资料,基本同本款规定。

3.3.9 本条规定了钢丝绳最大静张力、最大静张力差在各种提升系统中的计算方法及计算原则。

1 双罐笼提升系统的两个罐笼一般都做成等重,当配重质量为设备(包括运输车)质量的50%时,可以同时满足各种提升状态对张力差的要求,如果加大或减少配重质量,只能对一种提升状态有利,转换成另一种状态可能就会出现事故,另外,设计还要考虑提升系统简单、方便、实用、经济合理,不能将提升系统复杂化。

2 本款规定平衡锤计算质量时应按最不利条件,即升降最重设备或物料,罐笼均按空罐,并且张力差同时满足重载、空载、上提、下放等运行状态。

3 理论上固定配重块的平衡锤可以拆卸或加装,以此调节提升系统张力差,达到节能目的,但在生产实际中通过拆卸或加装调整平衡锤质量是非常不易的,工人要在井筒内狭小的空间内对平衡锤进行繁琐的准备、拆解、运搬、安装等操作,稍有不慎可能造成事故,另外,当集中升降液压支架或其他物料时,平衡锤质量不能同时满足重载、空载、上提、下放等运行状态的张力差,需要多次空运行来运送配重块,然后再进行安装,这种操作程序表面上节约一些能耗,实际上给生产单位造成许多不应有的危险和困难,罐笼提升本身负载变化就很大,大马拉小车的情况基本处于主导地位,这是罐笼提升的特点,也是允许的,而安全生产、简单方便、提高效率是生产单位最需要的,因此,规定一次配足平衡锤质量,将给生产带来安全和方便。

3.3.10 本条规定了提升运动学的部分计算。

1 目前许多外动力卸载的矿井采用五阶段速度图,即增加一个爬行段,作为停车前的准备。国内有些矿井已采用三阶段速度图,缩短了一次提升时间,如屯留矿主井提升,使用良好。

3 由于斜井车场型式、提升方式不同,斜井提升速度图可以有多种,并且较为复杂,因此应按具体提升条件确定提升速度图。

4 立井箕斗和罐笼提升速度图宜采用变加、减速的S形曲线,可以限制提升机加速和减速过程中钢丝绳的弹性振动,限制提升钢丝绳的动张力和提升容器的震荡,提高罐笼的乘座舒适度、平层准确度,可以延长钢丝绳、提升机的使用寿命,减小紧急制动时的动力冲击,有效防止钢丝绳滑动,增加提升系统的安全可靠性。

3.4 提升工艺布置

3.4.1 本条对井塔式多绳摩擦式提升设备的布置进行了原则性规定。

2 提升容器冲击防撞梁时,不允许悬挂装置最大长度通过导向轮楼板。悬挂装置高度系数考虑防撞梁变形以及桃形环上部绳卡长度增加的距离。

3 提升机和电动机安装、检修时,应留有足够大的通道方便人员操作,直联电机体积大,运搬空间要求大,应满足最小空间要求。

4 同层平行布置两台提升机,闸座是最突出的部位,考虑安装要求,应留出一定距离。

3.4.2 本条对井塔式多绳摩擦式提升设备的吊装方式进行了原则性规定。

1 井塔外吊装设备需在井塔大厅层开大门、设牛腿,与塔内起重机倒钩困难,危险性大,这种方式不应采用,现今各式超卷扬起重机已广泛在井塔内吊装,设备安装灵活、方便。

2 起重机主钩主要吊大件,起重机主钩极限位置与吊装孔边缘距离过小,大型设备将无法起吊,井塔设计应重视这个问题。

3 井塔内的吊装设备一般起升速度很慢,悠钩现象较少,根据对多个井塔的调查,设备起升后先稳定吊钩,使其不再晃动,再起升基本都处于稳定状态,给定的吊装设备与吊装孔最小距离可以保证吊装安全。

3.4.3 本条对井塔起重设备的布置进行了规定。

2 电梯机房曳引机控制柜最高,当起重机跨机房运行,其主梁底面与最高设备应留有足够距离。

5 起重机最高处与土建构筑物的距离应考虑起重机自身安装所需高度。

3.4.4 本条对井塔电梯布置方式作出规定。

1 电梯布置在井塔一角,可以充分利用井塔有效空间,方便维护、检修。

4 井塔面积有限,电梯曳引机及电控部分设置封闭机房,其空间一般较小,不利于安装、维护、检修,有时为避免与起重机发生干涉,还要适当提高井塔高度,因此,不宜设置封闭机房。

3.4.5 本条对地面提升设备布置进行了原则性规定。

2 提升容器冲击防撞梁时,不允许悬挂装置最大长度同时冲击天轮,对于落地式多绳摩擦式提升,不得冲击下天轮。悬挂装置高度系数考虑防撞梁变形以及桃形环上部绳卡长度增加的距离。

5 两台提升设备异侧布置,井架高度比同侧布置较低,受力较好,耗材相对较少,当工业场地条件允许时,大型提升设备宜采用这种布置方式。

条件允许时,两台提升设备可成角度布置在一个机房内服务两个井筒提升,这种方式方便管理,节省建筑材料,占地面积小,鸡西荣华矿井主、副井两台多绳摩擦式提升机成90°布置在一个机房内,通过生产运行,取得了比较好的效果。

8 落地式多绳摩擦式提升两组天轮规定间距,主要是考虑安装时,间距过小容易干扰,不利施工。规定钢丝绳弦长最小距离主要是为了防止钢丝绳振动以及特殊情况出现钢丝绳发生碰撞。

10 主机与电控在同一机房隔断分设在不同室内,主机室与电控室各自出口可同时计算,但隔断必须有通路。主机房与电控室分设在两个不同建筑物内或同一建筑双层布置,主机房应有不少于2个出口。

3.4.7 落地式多绳摩擦式提升机钢丝绳仰角一般较大,当采用双梁起重机主梁碰到钢丝绳,即为起重机大车行走极限位置,此时起重机吊钩位置可能不在设备中心,因而无法准确起吊,一般通过增加起重机轨面高度,抬高主梁底面来满足要求。

3.4.8 本条对斜井地面车场确定原则进行规定。

1 平车场、甩车场布置与现场地形、地貌关系较大,车场布置时应充分利用地形,并与相关专业配合确定。

2 目前提升设备基本都采用数字控制系统,控制精度很高,停车较准确,从现场调查看,停车点距离变化均较小,甩车场长度计算比较符合实际情况。

过卷距离应从最大停车线摘钩点开始计算。

3 平车场井口一般较复杂,总平面在井口附近可能同时布置一些其他设施,为合理布置窄轨,摘钩点位置可能发生一些变化,因此应注意和相关专业配合确定。

提升机侧钢丝绳自重大于或等于矿车侧钢丝绳自重时,容易造成矿车摘挂钩困难。在天轮至提升机卷筒之间设置钢丝绳托架,可以有效解决此问题。

3.4.10 本条对井下提升机设备布置进行了原则性规定。

1 井下提升机硐室受地质条件影响一般宜小不宜大,在满足使用条件下应尽量紧凑布置。

2 开壁龛布置电动机主要是为了解决硐室宽度过大支护困难的问题,并且可以节省工程费用,采用这种方式也要留出维护、检修通道。

3 液压提升机供油泵噪声较大,有时提升打点信号司机不易听清,因此,将其设在专用硐室以解决司机安全操作问题。

3.5 辅助设备

3.5.1 本条对安装、检修用起重机的选择进行了原则性规定。

1 提升机安装维护用起重机工作范围较小,工作环境多样,应注意止点位置是否满足安装条件,必要时可按非标准起重机制造。

2 最大起重量发生在安装过程,即需要装配后起升安装重量,目前大型提升设备安装已用到100t起重机,由于使用次数较少,经济合理性较差,因此应尽量减小起重量。

4 井塔提升设备规格、重量较小可选用电动起升,大车、小车行走手动型式超卷扬起重机造价较低,使用方便,适用于提升设备安装检修;提升设备规格、重量较大,由于手动运行困难,可选用电动超卷扬起重机。

5 地面提升设备型式较多,最大件重量较小时,采用起重梁或手动起重机不作具体规定,可根据实际情况自定;最大件重量较大时,可采用电动起重机,如果手动起重机也能满足要求,也可用手动起重机。

7 由于安装检修提升设备使用起重机不频繁,整机可按较低工作级别制造。

3.5.2 井塔电梯正常载人数较少,只有些备品备件或小型设备随电梯升降,载重量 1000kg 的电梯能够满足要求。另外提升井塔全高并不算太高,电梯使用也不频繁,因此电梯速度不宜设得太高。

3.5.3 本条对提升主电机冷却系统进行了规定。

1 轴流风机噪音大,不易布置,因此,应选用离心式通风机;

3 电动机温升对输出功率影响较大,而电动机温升通常还受环境温度、载荷、运行时间影响,冷却风机采用变频调速,可以较好地控制风机风量,从而达到节能目的。

4 电　　气

4.1　负荷分级和供电电源

4.1.1　提升系统的电力负荷分级和供电电源是根据现行国家标准《矿山电力设计规范》GB 50070 和《煤炭工业矿井设计规范》GB 50215的要求规定的。

4.2　电气传动系统

4.2.1　本条对提升机电气传动系统电源装置的选择进行了原则性规定。

1　随着电力电子技术的发展,提升机控制系统型式呈现多样化,选择电力传动方式应从不同角度进行综合分析,确定方案总的原则是系统简单、高效、投资少、可靠性高,维护、检修方便。

2　提升机电气传动系统宜采用高性能电力电子调速方式。

3　电动机额定功率为 2000kW 及以上不采用直流传动主要是由于大容量直流传动系统效率相对较低,运行、维护费用较高,节能效果不如交流变频传动。

4.2.3　本条规定了提升机的各种运行方式,是控制系统宜具备的,在实际工作中由于某些原因一些功能可以不用。

应急提升运行方式是由于电气传动系统某部分设备功能失效时,为维持必要的提升作业(如将罐笼中的人员升至井口或临时的人员、物料升降),在屏蔽或省略该部分设备功能的前提下,以不完全冗余备用设备或不完全冗余功能取代失效部分设备功能所采用的一种运行方式。因此,应急提升运行方式是一种非正常手动提升方式。然而,在应急运行方式下,电气传动系统仍应具有最基本的保护、联锁和控制功能,同时应只能采用手动运行方式,通常宜减载和降速运行，不应以应急提升运行方式进行长时间的提升作业。

4.3 电气设备布置

提升机电气系统设备的布置主要依据现行国家标准《20kV及以下变电所设计规范》GB 50053 和《低压配电设计规范》GB 50054 进行规定，同时也结合了电控系统功率流向、工艺要求等因素作出原则性要求。

4.4 电缆选择及敷设

本节对提升机电力电缆选择及敷设进行了原则性规定，实际应用时应结合相关规程、标准执行。

4.5 提升信号与通信

提升信号装置及通信设备是依据现行国家标准《煤炭工业矿井设计规范》GB 50215 规定的。

目前有些生产厂家对提升信号装置设计存在一定缺陷，通过本规范进一步强调了系统电源的设置和对提升信号、备用信号的要求。

4.6 照　　明

提升机建筑物照明应按现行相关标准、规范执行，并适当提高操纵室及各设备层的照度。

4.7 防雷与接地

建筑物防雷与接地应按现行相关规程、规范、标准执行，应用时应结合提升建筑物结构、设备情况进行布线。

5 建 筑

5.1 一般规定

提升系统地面建筑主要设计依据应按国家有关标准、规定,具体执行应按现行国家标准《煤炭工业矿井设计规范》GB 50215 的有关规定。

提升系统是矿山的重要生产环节,良好的工作环境对安全生产具有重要意义,因此提升建筑物经常有人值守的地方应进行适当装修,有条件的还应提高装修标准。

5.2 提升建筑物和构筑物

5.2.1 落地式多绳摩擦式提升井架双斜撑具有受力好、套架不易变形的优点,但投资较高,目前许多大型矿井都采用这种型式。单斜撑一般中小型矿山应用较多,在具体应用上应根据技术的可行性及用户条件通过比较确定。

5.2.4 目前有些矿井建设期间利用永久井塔或井架进行凿井,以提高建设速度、节省建设投资,如阳泉新景矿、七台河龙湖矿、辽阳红祥矿都是采用这种方法,有的地方将永久设备也纳入建设期间凿井,因此,在有条件情况下应提倡这种施工方式。

5.2.6 全封闭井架在更换天轮或更换钢丝绳时有些困难,因此,在设计时应考虑方便更换天轮或钢丝绳的措施。

6 给排水及采暖通风

6.1 给 排 水

6.1.1 地面提升机房室内除提升机、电气等设备外,其他易燃物较少,故可不设消防给水系统。

6.1.2 提升井塔高度较大,室内空气流动充分,助燃条件好,最上面三、四层除有提升机和电气设备外,还附有装修材料等易燃物,并且经常有人员活动,火灾发生时主要依靠自救,切断电源后,还需用水进行灭火才能起到较好的灭火效果,所以除了在提升机主机层和有较多电气设备的楼层配置化学灭火器之外,还应设消防给水。

根据现行国家标准《建筑设计防火规范》GB 50016 的规定,高层丙类厂房需设置自动灭火系统,考虑井塔内火灾危害性较小,可燃物相对较少,日常有人员值守,并配有灭火器和消火栓等给水消防设施,因此可不设置自动灭火系统。

6.1.3 井塔内一般设有卫生间,应根据用水量的大小,并考虑水压特点和整个工业场地内与井塔高度相仿的高层建筑的数量及分布情况,拟出多种供水方案,经技术经济比较后确定,各种供水方案均应优先考虑利用管网水压。

6.1.4 灭火器对于消灭初期火灾效果好,使用方便,各建筑内应按标准配备灭火器材。

6.1.5 井塔建筑较高,排水高度较大,排水铸铁管重量大、节数多、安装不便,故不宜采用排水铸铁管。采用钢管时应采取防腐蚀措施。

塑料管可采取在中间每隔一定距离设消能管,或采用内螺纹排水管,达到消能目的。

6.2 采暖和通风

6.2.1 提升井塔和地面提升机房的主机层有人值班,采暖温度定为16℃~18℃是适宜的,其他各层(间)考虑设备维护和检修人员不经常值守,因此定为10℃。

6.2.2 防寒走廊是为防止钢丝绳结冰,采暖温度按5℃可以满足要求。

6.2.3 矿井工业场地一般有蒸汽、热水两种热媒,由于塔式提升系统的井塔比较高,若用热水为采暖热媒,需根据各层静压进行分系统采暖,运行管理比较复杂,因此应优先考虑采用0.2MPa以下的饱和蒸汽为采暖热媒。

6.2.4 提升井塔和地面提升机房的主机层由于层间较高,散热器采暖满足不了要求时,考虑设置暖风机。

6.2.5 提升机电动机发热量较大,虽然有的电动机带有通风设施,但散到室内的热量仍然较多,为了保证提升机主机室的工作环境,应设置轴流风机或屋顶风机进行机械通风,有条件的可在司机操作室内设置窗式、壁挂式或柜式等形式的空调机。单独设置的控制室如果发热量大,可设空气调节装置。